D1503411

PACCO

Mise en couleurs Carlier

Maé

SAISON 2

MARABOUT

Gros big up à :
Fred "fais un blog" Bernard,
David "fais-en une BD" Rate,
Lisa "faisons un livre ensemble" Grall,
Elisabeth "bonne idée, je signe" Darets.

Maxi gros big up à :
Margaux "my evil twin" Motin,
toi-même tu sais...

L'éditeur tient à remercier Agathe Lebihain qui est à l'origine de la planche de la page 140.

Pour Sté et Maé,
ma moitié et mon tiers,
sans qui...

9

Previously on Maé...

ARGENT FACILE,
FILLES ET ALCOOL
À GOGOOOO !!!

Yeeeaaahhhh babyyy !!!

15

Ça bosse fort !

Foutu, foutu, foutu !!!

Dans ton...

Size doesn't matter !

Une bonne idée ?

Direct Live

26

27

La stagiaire

VDMᴀᴇ́

AUJOURD'HUI, UNE
DE MES PLANCHES DOIT
ÊTRE MISE EN LIGNE
SUR VDM...

COMME J'AI LOUPÉ LE PREMIER
PAS DE L'HOMME SUR LA LUNE,
LA CHUTE DU MUR DE BERLIN
ET L'ASSASSINAT DE TOUS LES
KENNEDY, JE TIENS ABSOLUMENT
À VIVRE CET ÉVÉNEMENT
EN DIRECT !!!

À 7 H 00 DU MATIN,
JE N'AI PAS FERMÉ L'ŒIL
DE LA NUIT ET JULIEN N'A
TOUJOURS PAS POSTÉ
MA PLANCHE...

JE M'ÉCROULE DONC
COMME UNE GROSSE
ME"BIIIPPP"RDE...

À 7 H 10, JE ME SOUVIENS
BRUSQUEMENT DE CE
QUE STÉ M'A RÉPÉTÉ
VINGT FOIS LA VEILLE :

"DEMAIN, JE NE SERAI
PAS LÀ DE LA JOURNÉE,
CE SERA À TOI DE
GÉRER MAÉ..."

VDM

Easy

MODE FILLASSE
ϟ ON ϟ

Cendrillon, pour ses 4 ans...

ET MAINTENANT, TOI, TU ES MON PRINCE, ET JE DOIS TE FAIRE DES KROS BISOUS !

OUAIS, C'EST ÇA, MAIS J'TE PRÉVIENS, SI JAMAIS TU MORDS, TU PASSES PAR LA FENÊTRE !!!

KKKKSsSSSSS...

KKKKSsSSSSS...

HÉ, LOULOU, IL LUI ARRIVE QUOI À MAÉ, CES TEMPS-CI ?

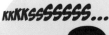

IL NE LUI ARRIVE RIEN, PACCO, C'EST UNE FILLE... C'EST COMME ÇA, LES FILLES.

KKKKSsSSSSS...

MMMHHHHHH... MMMHHHH...

MAÉ EST DEVENUE UNE FILLE...

"Zis is your commandant spiking..."

Maé.

Bronzing

Fillasse...

Mon Petit Poney

Maé.

Maé.

Maé's Secret

Maé.

Leçon n° 4

...

Les pétasses !!!

Mayday !!! Mayday !!!

Maé.

UNE JOURNÉE
SANS MAMAN

Maé.

Et là, tout à coup...

The Sartorialist

Maé.

Leçon n° 7

Rhhhaaa !!!

c'est trop bon !

Karaté Kid

Struggle for life

Y'a pas de raisons !

Mmmhhh…

64

Maé.

Maé.

Leçon n° 9

Non,
pas vraiment !?

Alléluia *!!!*

Maé.

Maé.

Leçon n° 11

...

L'HOMME SEUL EST
TOUJOURS SEUL

Le poisson rouge

Le boucher de Boulogne

Maé.

Leçon n° 12

L'ennemi ne dort jamais longtemps...

Les pitits cubes maziques

Le comédon's fever

Maé.

Ready ?

Y.M.C.A.

'Gad', 'gad' !!!

C'est génétique

On ne peut pas rire de tout...

Booouuuuhhhh *!!!*

SCHOOL DAY'Z

La fête à Louine

Les Vamps

Apprendre à être patient

Star System

* SPIDERMAN, BIEN SÛR...

Je parle trop...

Maé.

Leçon n° 14

Ces êtres si...

crédules...

Clonage

Heckel et Jeckle

111

114

...ou pas assez !

GRANDES
PETITES CHOSES

Une promesse est une promesse...

Le poulpe

ALORS JE TE LIS...

"MONSIEUR, CHEZ L'ENFANT NORMALEMENT CONSTITUÉ,

LA MARCHE SUR LES MEMBRES INFÉRIEURS SE FAIT ENTRE 12 ET 24 MOIS. PASSÉ CE DÉLAIS, VOUS DEVEZ CONSULTER."

"Le soleil vient de se lever..."

David Copperfield

Maé.

Maé.

I'm singing in the rain !

It's a man's world !

Mars et Vénus

Maé.

Maé.

OK, MAIS TU VEUX PAS QU'ON COMMENCE PAR DES TRUCS FACILES...

COMME LES PAPASSES, PAR EXEMPLE ???

Un seul être vous manque...

FÊTES DE NOËL

Feux d'artifice

Mamie Noël

Joe l'Arnaque

Alors ?!

ô douce nuit...

Maé.

HHHiiiⁱⁱⁱⁱⁱ iHHiⁱⁱⁱⁱ iHHiⁱⁱⁱⁱ ⁱⁱⁱ NNN!!!

HHHiⁱⁱⁱⁱ NNN!!! HHHiⁱⁱⁱ NNN!!!

RRRHHAAA, Z'AADOORE DOCTEUR MABOUL® !!!

IL EST KRO BIEN CE ZEU !!! RHHHAAA, MERCI, PITIT PAPA NORWEL !!!

Leçon n° 19

Pitit Papa Norwel

est un véritable

fils de p…

Beau cadeau

ÉPILOGUE

Oh, tu descends ?